PAIDEIA
ÉDUCATION

DELPHINE DE VIGAN

No et moi

Analyse littéraire

© Paideia éducation.

22 rue Gabrielle Josserand - 93500 Pantin.

ISBN 978-2-75930-611-4

Dépôt légal : Septembre 2023

Impression Books on Demand GmbH

In de Tarpen 42

22848 Norderstedt, Allemagne

SOMMAIRE

BIOGRAPHIE DE
DELPHINE DE VIGAN

Née le 1ᵉʳ mars 1966 à Boulogne-Billancourt, Delphine Le Vigan est romancière et réalisatrice. Elle a écrit huit romans, mais aussi plusieurs scénarii de films qu'elle a portés à l'écran. Après avoir fait des études au CELSA (école des hautes études en sciences appliqués), elle travaille dans un institut de sondage.

Son premier roman, *Jours sans faim* (Grasset) paraît en 2001 sous le pseudonyme de Lou Delvig. Elle doit son premier grand succès à *No et moi*, son troisième roman paru en 2007. Il reçoit le prix du Rotary international et le prix des libraires (2009). Traduit en 20 langues, il est adapté au cinéma par Zabou Breitman en 2010. Elle publie en 2009, *Les Heures souterraines* dans lequel elle dénonce le harcèlement moral au travail. Elle reçoit pour ce livre le prix du roman d'entreprise. Le prix est également nommé au Goncourt. Il est adapté pour Arte sous forme de série. En 2011, elle sort *Rien ne s'oppose à la nuit*, dans lequel elle parle des souffrances de sa mère atteinte de trouble bipolaire. Elle obtient le prix du roman Fnac, le prix roman France Télévision et le prix Renaudot des lycées. Le prix des lectrices *Elle* le couronne en 2012. En parallèle, elle rédige la préface de la BD de sa sœur, Margot, ainsi que son premier scénario.

En 2013, elle signe son premier film dont elle coécrit le scénario, *À coup sûr*. En 2015, *D'après une histoire vraie* est édité chez Lattès. Ce thriller est multi-primé avec le Goncourt des lycéens ou encore le prix Renaudot et est adapté au cinéma par Roman Polanski en 2017.

En 2018, elle publie *Les Loyautés* qui raconte les destins croisés de quatre personnages, deux adultes et deux enfants.

PRÉSENTATION DE
NO ET MOI

No et moi est paru le 22 août 2007 aux éditions Lattès puis le 11 mars 2009 aux éditions du Livre de poche. Il a reçu le prix des libraires en 2008. C'est une fiction de 286 pages.

Il a été adapté au cinéma par Zabou Breitman en 2011.

No et moi aborde de grands thèmes de société comme la perte d'un enfant (les parents de Lou, l'héroïne, ont perdu sa petite sœur et sa mère est dépressive depuis), mais aussi de l'exclusion. De Lou d'abord, puisque timide et très intelligente, elle est mise de côté par ses camarades de classe qui la surnomment « Le Cerveau ». Et celui de No, jeune S.D.F. que Lou va rencontrer au hasard d'un exposé à faire. L'auteur met donc en parallèle la marginalité intérieure de Lou et la marginalité extérieure de No.Il s'agit d'un roman engagé qui s'inscrit dans la thématique des récits d'adolescence sur un thème de société.

Les personnages sont Lou Bertignac, élève de seconde, tout comme Lucas, le rebelle de la classe qui va se retrouver mêlé à son histoire. La jeune SDF s'appelle Nolwenn, No est son diminutif.

RÉSUMÉ DU ROMAN

Chapitre 1

Lou Bertignac est en seconde. En cours de SES, elle est interpelée par son professeur, M. Marin qui lui dit qu'elle n'est pas inscrite pour les exposés. Meilleure élève de la classe avec un Q.I. de 160, elle n'en est pas moins terriblement timide. Elle brode en lui disant qu'elle va s'inscrire pour faire une interview d'une jeune SDF, en espérant après le cours lui dire qu'elle ne peut pas. Mais cela ne fonctionne pas, il lui conseille juste d'être prudente. Dans ce premier chapitre, on apprend également que sa mère est dépressive et que son père pleure en cachette. Lucas, le beau cancre de la classe ne la laisse pas indifférente.

Chapitre 2

A la gare d'Austerlitz, Lou part à la rencontre d'une jeune SDF, No. Elle font connaissance et Lou lui dit qui elle est. On apprend ainsi qu'elle a 13 ans, deux ans d'avance. No a faim, elle veut une clope, mais ne dit pas grand-chose sur elle. Lou regrette de ne pas lui avoir demandé son âge. Plus tard, elle demande à sa mère pourquoi la vie met des jeunes à la rue. Cette dernière lui répond que la vie est parfois injuste.

Chapitre 3

Lou parle de Lucas Muller, rebelle et cancre avec qui elle échange souvent des regards. Elle explique qu'elle a mis zéro sur la fiche de présentation pour le nombre de frère et sœur, qu'elle a appris à connaître sa classe, les élèves phares et les habitudes de chacun.

Chapitre 4

Lou retrouve No pour le rendez-vous. Elle l'emmène boire un chocolat dans un café. No boit plutôt de la vodka et vole une cigarette d'un client distrait. Lou est impressionnée par son insolence et sa force de caractère mais elle n'est pas à son aise de voir qu'elle est sale et n'a pas de chez elle. No demande à Lou de lui parler puis s'endort. Lou finit par la réveiller et rentre chez elle.

Chapitre 5

Lou décrit le côté autoritaire de M. Marin. Même à elle, il ne laisse rien passer. Il lui a trouvé des informations sur les SDF. Elle décrit son rôle d'observatrice dans la cours, ce que c'est qu'un enfant intellectuellement précoce, ses difficultés pour s'intégrer à la classe. Lucas qui l'appelle Pépite, est impressionné de la façon dont elle s'est imposée face à M. Marin avec son exposé. Comme elle le dit, il ne reste plus qu'à convaincre No de l'aider.

Chapitre 6

Lou finit par parler à No de son interview. Celle-ci ne dit rien, puis finit par lui demander ce qu'elle aura en échange. Plus tard, son père rassure Lou à propos de sa mère en lui disant qu'il faut du temps. Lou tente de se rassurer à propos de tout ce qui se passe en repensant aux encouragements de Lucas.

Chapitre 7

Lou raconte les difficultés de ses parents pour avoir un autre enfant, comment Thaïs est née lorsqu'elle avait 8 ans, comment sa mère l'a trouvée morte (mort subite du nourrisson), et qu'elle a sombré dans la dépression. Elle explique qu'ensuite elle a été suivie par une psychologue qui a décelé une intelligence précoce chez elle, et qu'elle a été dans un collège spécialisé à Nantes. Son père et elle espèrent que sa mère, Anouk, va aller mieux.

Chapitre 8

No a accepté d'être interviewée par Lou. Celle-ci ne sait pas pourquoi. Elles se voient au café et prennent rendez-vous une fois sur l'autre. Parfois No vient, d'autres fois non. Elle raconte son parcours de SDF, où elle dort, ce qu'est son quotidien.

Chapitre 9

No ne veut rien en échange, tant que Lou paye ce qu'elle boit au café. Lou a menti à ses parents, elle raconte qu'elle fait un exposé avec Léa Germain. L'argent qu'elle a eu de sa grand-mère sert au café. Elle prétexte des sorties, notamment au cinéma. No lui décrit ses journées, les gens parfois louches, la soupe populaire, les endroits au chaud qu'elle cherche…

Chapitre 10

Lou apprend que No a été placée dans un foyer à 12 ans, que sa mère a un fils, qu'elle vit à Ivry et a refait sa vie. Lou a fini son exposé, elle s'interroge sur la manière de garder

contact avec No. Peut-être lui dire de venir dormir chez elle…
si elle en avait seulement le courage.

Chapitre 11

L'exposé a lieu. Les autres élèves applaudissent. M. Marin
lui donne un 18. Lou est heureuse et assommée. Elle s'endort
en classe ! Lucas la réveille et l'aide à ranger ses affaires. Il
se moque gentiment.

Chapitre 12

No n'est pas au rendez-vous donné. La femme du kiosque à
journaux lui parle de Nolwenn, elle n'apprend que ce qu'elle
sait. Une fille de la rue qu'on n'a pas vu depuis quelques jours.
Elle rentre et discute avec sa mère, mais regrette qu'elle soit
toujours aussi triste. Son père lui offre l'encyclopédie qu'elle
voulait *De l'infiniment grand à l'infiniment petit*.

Chapitre 13

Lucas l'invite mais elle prend peur et refuse. Elle raconte
ensuite l'histoire de Mouloud, ce SDF en bas de sa rue, mort
de froid. Ancien ouvrier chez Renault. Elle ne comprend pas
comment on peut en arriver là. Son père lui explique que les
choses sont plus compliquées qu'il n'y paraît.

Chapitre 14

Les vacances de Noël. Sa mère ne voyageant plus, ils
restent sur Paris. La famille vient de Dordogne. Elle raconte
comment elle s'en est pris à sa tante qui critiquait le comportement de sa mère, ne supportant pas qu'on s'attaque à une

personne sans défense. Lou se demande ce que devient No.

Chapitre 15

Lou part Porte de Bagnolet pour tenter de trouver No. Elle cherche Geneviève, l'amie de No. Elle apprend que No est peut-être dans un foyer. Elle part ensuite voir un SDF avec qui No partageait une tente. L'homme est agacé mais finit par lui dire à quelle soupe populaire elle va manger. Lou décide d'y aller régulièrement.

Chapitre 16

Dernier jour des vacances. Elle finit par voir No qui l'envoie balader. Elle ne comprend pas pourquoi elle la cherche. Ce n'est pas sa vie. Lou part agacée par le comportement des SDF.

Chapitre 17

Lou réfléchit au Big Bang et à bien d'autres théories. Parle du calme de son père, des goûters que préparait sa mère, de sa fascination pour les sciences. Elle explique sa différence avec les autres filles de sa classe, déjà formées, de sa grand-mère qui suggère de lui faire faire du sport pour que son corps se renforce. Elle est toute petite.

Chapitre 18

Lucas lui demande si elle a passé de bonnes vacances. Elle n'ose pas lui parler de No. Elle ne comprend pas pourquoi il passe tout ce temps avec elle à lui proposer des sorties alors que toutes les filles sont folles de lui et qu'il connait tout le monde.

Chapitre 19

No attend Lou à la sortie du lycée. Elle explique qu'elle est dans un centre d'hébergement d'urgences pour 14 jours. Lou lui parle de Lucas, de ses peurs. No lui parle de Loïc, son amoureux du lycée. Mais No n'aime pas trop raconter sa vie. Lou lui donne un peu d'argent pour prendre le RER. Elles se promettent de se revoir.

Chapitre 20

Lou finit par prendre son courage à deux mains et sous la forme d'un exposé, elle explique à ses parents pourquoi ce serait bien d'accueillir No quelques temps chez eux. Elle pourrait dormir dans la chambre de sa sœur, qu'on appelle désormais le bureau. Ses parents acceptent de la rencontrer.

Chapitre 21

No disparaît et réapparait encore. Elle n'est plus au centre, elle est en liste d'attente. Elle est allée dormir quelques temps dans la tente de son ami, mais suite à des embrouilles, elle est partie. Lou aime qu'elle lui parle comme à une adulte. No n'est pas en grande forme, sale. Lou réagit au quart de tour, va chercher Lucas qui accepte qu'elle aille se laver chez lui et les amène. Une fois No présentable, elle l'entraîne chez elle pour qu'elle voie ses parents.

Chapitre 22

Ses parents acceptent que No reste quelques temps, le temps de se remettre. Elle dormira dans la chambre/bureau. Son père lui a fait de l'espace. No accepte sans broncher.

Chapitre 23

No a 18 ans, elle dort toute la journée, le temps de se remettre. Lucas lui demande des nouvelles. Désormais, il s'as-
soit à côté d'elle en classe. Il est le plus vieux, elle est la plus
jeune. Cela surprend les enseignants, mais inspire le respect
aux autres. Il lui apporte régulièrement des choses pour No
également. C'est leur secret.

Chapitre 24

No finit par sortir de la chambre, participe aux tâches mé-
nagères, discute avec Lou. Elles s'entendent comme deux
sœurs. Malgré tout, No reste taciturne et plonge parfois dans
la rêverie.

Chapitre 25

M. Marin est désagréable avec une élève de la classe de
Lou qui s'est coupée les cheveux très courts. Lou ne supportant pas cela s'énerve et lui dit que c'est « dégueulasse ». Elle
finit en permanence mais attire le respect de sa camarade. Elle
retrouve ensuite No avec laquelle elle va chez Lucas. Le père
de Lucas est parti, sa mère vit à Neuilly auprès d'un autre
homme avec lequel il ne s'entendait pas. Elle revient parfois
à l'appartement. Ils prennent souvent le goûter et écoutent de
la musique.

Chapitre 26

Grâce à l'aide des parents de Lou, No revoit son assistante
sociale et suit un programme de réinsertion. Elle s'est beaucoup rapprochée de la mère de Lou ce qui lleur fait du bien

à toutes les deux. No raconte son enfance, enfant non désiré issu d'un viol, sa mère ne s'est jamais occupée d'elle. Ses grands-parents l'ont élevée jusqu'au décès de sa grand-mère quand elle avait 7 ans.

Chapitre 27

Les rituels s'installent, les deux jeunes filles se racontent leurs histoires, parfois Lou arrive à avoir des infos sur Loïc qui serait parti en Irlande et que No voudrait rejoindre, elle a arrêté l'école en 3ème, mais cherche avec acharnement du travail. Le soir, elles vont chez Lucas, seuls et libres, ils s'amusent et se moquent du lycée, de la vie, inventent des histoires.

Chapitre 28

No a trouvé du travail comme femme de chambre à mi-temps et fait des extras au noir au bar. Le père de Lou a acheté du champagne. En attendant d'avoir une couverture médicale, No, qui a très mal au dos, est envoyée par le père de Lou chez leur médecin. Le mardi, quand elle peut, elle va chez Lucas avec Lou.

Chapitre 29

No raconte sa vie lorsqu'elle est revenue chez sa vraie mère à partir de ses 7 ans, la façon dont son beau-père, l'homme à la moto, était gentil avec elle alors que sa mère la traitait comme un chien. L'homme est parti après de nombreuses disputes. Sa mère a commencé à boire. Une assistante sociale a commencé à s'intéresser à elle. Sa mère buvait beaucoup, No s'occupait d'elle sans qu'elle lui parle. Un jour elle est tombée et n'a pas eu de soin. L'assistante sociale a fait un signalement. Elle a été placée dans une famille d'accueil. Puis faisant des fugues, elle est partie en internat. Son grand-père continuait à la voir. C'est à l'internat qu'elle a rencontré Geneviève et Loïc. Lou est un peu jalouse de la façon dont sa mère parle à No, sur un pied d'égalité.

Chapitre 30

No accompagne Lou dans ses péripéties, ses collections de tickets de métro et autres. L'assistante sociale aide No dans son dossier de logement, mais avec un mi-temps déclaré, elle ne pourra prétendre qu'à un foyer de réinsertion. Lou ne veut pas qu'elle parte.

Chapitre 31

Son père absent, c'est la mère de Lou qui gère le foyer, Lou se rend compte que sa mère va mieux. Celle-ci finit même par parler de Thaïs à No. Lucas et Lou s'envoient des petits mots en classe, et sont de plus en plus complices. Lou se demande si on peut détester ses enfants.

Chapitre 32

Lou et No ont fait des photos rigolotes avec Lucas, No lui montre la seule photo d'elle quand elle était petite. Cependant, No est de plus en plus souvent de mauvaise humeur. No pique des médicaments à la mère de Lou. A son travail, son patron qui est plutôt proche de ses sous, ne lui paye pas ses heures supplémentaires. Lucas et Lou sont toujours complices. Les parents de Lou sont contents qu'elle ait un ami dans sa classe. M. Marin dit un jour d'elle qu'elle est une utopiste.

Chapitre 33

No est déterminée à aller voir sa mère. Lou ne comprend pas pourquoi mais accepte de l'accompagner. Arrivée sur place, sa mère refuse de la voir. No s'énerve contre la porte à se blesser la main. Lou finit par arriver à la raisonner.

Chapitre 34

Lou doit partir en Dordogne avec ses parents soutenir sa tante, quittée par son mari. Reste à savoir si No peut demeurer seule chez eux.

Chapitre 35

Avant leur départ, le père de Lou fait une leçon de responsabilité à No. Celle-ci est de plus en plus féminine et semble mieux physiquement. Cependant, elle dit à Lou, en pleurant, qu'elle ne fera jamais vraiment partie de sa famille.

Chapitre 36

Lou découvre sa tante déprimée, ce qui est nouveau chez elle, et finalement la rend triste. En parallèle, No finit par ne plus appeler pour donner des nouvelles. En rentrant, les parents de Lou découvrent la chambre de No pleine de bouteilles d'alcool et de plaquettes de médicaments vides.

Chapitre 37

No va mal, rentre tard, ne parle plus à Lou. Sa mère lui explique que si elle devient un souci pour la famille, elle ne pourra pas rester chez eux. Lou comprend, mais ne sait pas quoi faire pour aider son amie.

Chapitre 38

No travaille désormais de nuit. Elle est mieux payée mais va de plus en plus mal et se laisse complètement aller. Elle ne va plus au rendez-vous avec l'assistante sociale qui ne peut du coup, plus l'aider. Les parents de Lou réfléchissent à la décision qu'ils vont devoir prendre.

Chapitre 39

Les parents de Lou ont décidé de ne pas garder No. Cette dernière s'enferme dans son mutisme. Lou quant à elle, est en colère et se sent démunie. Seuls les bras de Lucas la rassurent un peu.

Chapitre 40

Pendant que Lou est au lycée, No s'en va, sans rien dire. Quand Lou rentre, ses affaires ne sont plus là. Lou est en colère, n'a l'impression d'être qu'une madame « Je sais tout » qui ne sers à rien…

Chapitre 41

No est allée sonner chez Lucas. Elle va habiter là quelques temps, puisque la mère de Lucas n'est pas là. Lou décide de s'en occuper avec Lucas. Elle dit à ses parents qu'elle n'a plus de nouvelles.

Chapitre 42

La mère de Lou se remaquille, pense reprendre son travail

à mi-temps et la chambre de Thaïs va être transformée en bureau, ses parents sont d'accord sur tout. Lou invente des prétextes pour aller chez Lucas voir No. Lucas est stricte, il ne lui laisse pas les clés, vide les bouteilles d'alcool. No fait comme si ça allait, mais son état n'évolue pas et Lou a toujours peur de la retrouver morte ou partie.

Chapitre 43

Lucas est parfois découragé de voir l'état de No, ne sait pas comment faire. Lou s'accroche, elle aime bien qu'il échafaude des plans pour l'aider. No n'est plus du monde des SDF, son ami Momo ne veut plus la reconnaître, mais elle n'est pas du monde de Lou pour autant. Elle a des traces rouges dans son cou, boit toujours autant et Lou en a mal au ventre. No fait des économies, elle dit que c'est pour rejoindre Loïc en Irlande.

Chapitre 44

Lucas est en retard en cours. Lou sait qu'il s'est passé quelque chose. Ils en parlent en cours d'anglais. Lucas tente de faire comprendre qu'ils ne peuvent pas s'occuper de No, qu'elle pue l'alcool, que ce n'est plus possible. Ils sont invités à la fête de Léa Germain. Lou trouve le décalage trop grand, s'en agace. Elle explique à Lucas que leur présence auprès de No lui permet de ne pas sombrer complètement, que c'est important.

Chapitre 45

Les parents de Lou sont dans les rangements et les travaux pour aménager la pièce, Lou leur parle de la fête d'anniversaire où elle est invitée. Ils sont d'accord. Elle n'aime pas cette façon dont on oublie No. Elle repense à des anecdotes de son enfance.

Chapitre 46

Lucas a encore eu une mauvaise note en SES. En parallèle, Lou lui dit qu'elle ne peut pas aller à la fête de Léa Germain, que ses parents ne veulent pas. En réalité, elle ne s'en sent pas capable. Lou apprend ensuite que des élèves ont vu Lucas avec No, ils se disputaient violemment. Lou essaie d'en parler à No, mais elle ne dit rien. Elle lui offre les converses dont elle rêve. Lou ne comprend pas pourquoi mais elle a envie de pleurer.

Chapitre 47

Lou est en colère contre tout ce qui se passe et elle se dispute avec sa mère. Son père tente de la calmer, mais elle dit que sa mère ne l'aime pas. Son père lui dit qu'il faut lui laisser du temps, qu'elle va mieux déjà.

Chapitre 48

No et Lou sont installées devant la télé chez Lucas qui est à son cours de guitare. No est de congés. Elle est de mauvaise humeur et boit de la vodka. No va vomir, Lucas rentré, l'aide et aperçoit des liasses de billets de cinquante dans la poche de No. Ils se disputent violemment. Lou comprend qu'ils ne sont pas assez forts pour l'aider.

Chapitre 49

Les parents de Lou sont venus la chercher. Son père a une

discussion avec elle. Il comprend que No est chez Lucas depuis qu'elle est partie de chez eux. Ils se disputent, ne se comprennent pas. Lou est triste et ressent toute la violence de la situation.

Chapitre 50

No appelle Lou pour lui dire que la mère de Lucas est au courant. Lou part sans prévenir ses parents. Elle aide No à préparer ses affaires. Elles partent toutes les deux, direction l'Irlande, mais avant dorment à l'hôtel. Lou pense à sa vie, à ses parents.

Chapitre 51

No et Lou sont à la gare direction Cherbourg. No dit qu'elle va chercher les billets et Lou ne voit pas qu'elle prend la valise. Lou attend. No ne reviendra pas la chercher. Lou entend la phrase « c'est pas ta vie » qui résonne dans sa tête.

Chapitre 52

Lou finit par rentrer chez elle à pied. Pour comprendre ce qu'il s'est passé, elle a besoin de marcher. Sa mère ouvre la porte et la prend dans ses bras en lui disant qu'elle leur a fait peur. Son père était au commissariat.

Chapitre 53

Lucas et Lou ont attendu plusieurs semaines pour aller voir Geneviève. Elle leur dira que Loïc n'a jamais écrit à No, qu'elle a appris où il était par un éducateur.

Chapitre 54

Dernier jour au lycée. M. Marin prend sa retraite, il offre un livre à Lou. Elle promet à Léa Germain d'aller à sa fête l'an prochain. Lucas va partir vivre chez sa mère à Neuilly. Il finit par s'approcher d'elle et l'embrasser.

LES RAISONS
DU SUCCÈS

No et moi est paru en 2007, c'est donc un roman contemporain. Il est porteur du regard sur notre société actuelle. C'est un roman sur l'adolescence, un roman engagé. Delphine de Vigan nous entraîne dans un conte moderne en soulignant les aléas de notre société. Si bien que beaucoup de jeunes et de lecteurs se sont reconnus dans son roman. Il a par la suite été intégré au programme des classes de 3ème. Les sujets traités dans le livre (les SDF, une enfant surdouée) sont des thèmes qui font échos à notre société. Son succès a permis à ce livre d'être adapté sur grand écran.

C'est donc un roman d'apprentissage qui s'organise autour d'une année scolaire. La narratrice est Lou, personnage principal, qui permet aux lecteurs d'être dans sa tête et de mieux comprendre son ressenti. On comprend d'autant plus le personnage que l'histoire s'intègre parfaitement à l'actualité de son époque.

Bien que le roman d'apprentissage trouve son origine au XVIIIe siècle en Allemagne puis au XIXe siècle en France avec notamment *L'Éducation sentimentale* de Gustave Flaubert (1869), on retrouve ce genre régulièrement depuis avec un fort ancrage de la société de l'auteur. Dans le même registre, mais quelques décennies plus tôt, on citera *L'Attrape-cœur* de J.D Salinger (1951). On relèvera cependant que le tout premier roman d'apprentissage serait *L'Odyssée* d'Homère (VIIIe siècle avant J-C.), preuve que ce genre a une longue histoire et que Delphine de Vigan a utilisé un style ancré dans le monde littéraire depuis toujours. Dans le récit lui-même, l'auteur fait référence à un roman d'apprentissage emblématique, *Le Petit Prince*, en comparant l'amitié entre Lou et No au petit prince tentant d'apprivoiser le renard.

On notera qu'en 2007, l'année de parution du livre, l'abbé Pierre décède. Ce dernier était le fondateur d'Emmaüs qui vient en aide aux SDF. Une de ses citations illustre d'ailleurs bien la relation entre Lou et No : « L'amitié, c'est ce qui vient au cœur quant on fait ensemble des choses belles et difficiles. » *Servir : Paroles de vie* (2006). De nombreux ouvrages sont régulièrement publiés sur ces thèmes. Dans *J'ai nom sans bruit* (2004), Isabelle Jarry parle de la longue descente aux enfers d'une femme qui perd tout et finit à la rue. La différence de ces ouvrages avec *No et moi* est sans doute le fait qu'ici, c'est d'une SDF adolescente dont il s'agit. La jeunesse et le désespoir, deux éléments qui attirent un lectorat adolescent et qui ne serait pas sans rappeler le conte philosophique comme *Candide* de Voltaire, l'innocence et la naïveté de Lou étant souvent mises en avant.

Plus qu'un roman, le récit devient reportage lorsque chiffres à l'appui, l'auteur écrit : « Il y a entre 200 000 et 300 000 personnes sans domicile fixe, 40% sont des femmes [...]. Et parmi les SDF âgés de 16 à 18 ans, la proportion de femmes atteint 70 %. » Une réalité mathématique implacable et qui donne à réfléchir. Dans la dernière partie, c'est la reconstruction qui prend place dans le récit. La reconstruction de No, qui échoue et celui de la mère de Lou qui réussit. Il y a cet aspect en demi-teinte qui permet de contrebalancer le récit pour ne pas sombrer dans le mélodramatique.

LES THÈMES
PRINCIPAUX

On assiste ici à une mise en abîme, le sujet de l'exposé de Lou en classe sera le sujet du roman. Le thème principal est l'exclusion. Sujet encore d'actualité, notamment lors de période de grand froid, les SDF sont au cœur de notre société et chaque année de nombreux débats quant aux solutions à trouver font rage. L'exclusion sociale trouve son origine dans les années 70, grâce au livre de René Lenoir, *Les Exclus*, paru en 1974. Un exclu est une personne privée de reconnaissance sociale, parfois de son identité. Vient avec ce thème la pauvreté. L'argent est un élément clé dans la deuxième partie de l'ouvrage.

L'autre thématique importante dans l'œuvre de Delphine de Vigan est l'intelligence précoce. Lou a en effet, deux ans d'avance. D'une certaine façon, elle s'exclue elle aussi de son groupe social en ne se sentant pas toujours à sa place. Elle crée un paradoxe avec Lucas qui, lui, a deux ans de retard, ce qui ne fait qu'augmenter le trait.

Le troisième thème et sans doute celui qui regroupe l'ensemble est la solitude des personnages. Thème récurrent dans les livres de Delphine de Vigan. De cette solitude et de leurs différences va naître l'entraide des personnages. En filigrane, on retrouve un dernier thème, l'amour au sens large. L'amour d'une mère pour sa fille, l'amour de Lou pour No et celui de Lucas pour Lou.

ÉTUDE DU
MOUVEMENT
LITTÉRAIRE

No et moi est un roman réaliste, adolescent, sur l'apprentissage. Le roman d'apprentissage est un genre romanesque né en Allemagne au XVIIIᵉ siècle. Il est contraire à la fonction première du roman qui est de divertir et de faire rêver. Le roman d'apprentissage a pour thème l'évolution du personnage principal et parfois de son entourage. Il suit un schéma en trois étapes bien précis : l'opposition du héros et de son environnement, l'appropriation d'expériences concrètes et enfin la réconciliation avec le monde.

On peut également relier ce type de roman avec les contes philosophiques, car la base même de toutes ces histoires reste le passage de l'enfance à l'adulte.

Le roman d'apprentissage joue sur la corde sensible. Il propose aux lecteurs deux types d'identification : celui-ci peut se glisser dans la peau du héros ou de l'héroïne dont il vit les aventures par substitution. L'auteur déguise aussi son récit sous des formes plus personnelles : romans par lettres comme Rousseau ou Goethe, à l'époque où l'on écrit autant qu'on envoie des mails ou des sms aujourd'hui. On peut trouver également des pseudo-autobiographies, des récits enchâssés garants de l'aspect authentique de la narration comme on le retrouve chez l'abbé Prévost. Toute cette structure incite le lecteur à s'identifier au rédacteur, puisque rédacteur et héros ne semblent faire qu'un. Le roman d'apprentissage n'est pas un roman d'aventure ou d'évasion, il vise le lecteur et l'incite à s'identifier, avec un fort ancrage dans la réalité. Mécanisme que l'on retrouve dans les *Illusions perdues* de Balzac.

Le héros quant à lui peut avoir plusieurs images. Le jeune homme apparaît comme un personnage idéal, très vite il sera innocent, amoureux et il souffrira. Schéma que l'on retrouve dans bon nombre de livres. On passe au XIXᵉ siècle du martyr des sentiments à un arriviste qui enterre ses illusions et de l'arriviste on arrive à un jeune homme qui aura comme vocation de progresser dans la société quitte à se servir des femmes. L'héroïne apparaît davantage comme un personnage déconstruit. Au XIXe siècle, son image est celle d'une personne instable, entre enfance qui n'intéresse personne et femme mariée qui n'intéresse plus personne et finit souvent suicidée. Le personnage évolue avec la société et c'est en femme qui s'en sort, qui devient indépendante et qui réussit que l'héroïne apparaît dorénavant.

DANS LA MÊME COLLECTION
(par ordre alphabétique)

- **Anonyme**, *La Farce de Maître Pathelin*
- **Anouilh**, *Antigone*
- **Aragon**, *Aurélien*
- **Aragon**, *Le Paysan de Paris*
- **Austen**, *Raison et Sentiments*
- **Balzac**, *Illusions perdues*
- **Balzac**, *La Cousine Bette*
- **Balzac**, *La Femme de trente ans*
- **Balzac**, *Le Colonel Chabert*
- **Balzac**, *Le Lys dans la vallée*
- **Barbey d'Aurevilly**, *L'Ensorcelée*
- **Barbey d'Aurevilly**, *Les Diaboliques*
- **Bataille**, *Ma mère*
- **Baudelaire**, *Les Fleurs du Mal*
- **Baudelaire**, *Petits poèmes en prose*
- **Beaumarchais**, *Le Barbier de Séville*
- **Beaumarchais**, *Le Mariage de Figaro*
- **Beauvoir**, *Mémoires d'une jeune fille rangée*
- **Beckett**, *En attendant Godot*
- **Beckett**, *Fin de partie*
- **Brecht**, *La Noce*
- **Brecht**, *La Résistible ascension d'Arturo Ui*
- **Brecht**, *Mère Courage et ses enfants*
- **Breton**, *Nadja*
- **Brontë**, *Jane Eyre*
- **Camus,** *L'Étranger*
- **Carroll**, *Alice au pays des merveilles*
- **Céline**, *Mort à crédit*

- **Céline**, *Voyage au bout de la nuit*
- **Chateaubriand**, *Atala*
- **Chateaubriand**, *René*
- **Chrétien de Troyes**, *Perceval*
- **Cocteau**, *La Machine infernale*
- **Cocteau**, *Les Enfants terribles*
- **Colette**, *Le Blé en herbe*
- **Corneille**, *Le Cid*
- **Crébillon fils**, *Les Égarements du cœur et de l'esprit*
- **Defoe**, *Robinson Crusoé*
- **Dickens**, *Oliver Twist*
- **Du Bellay**, *Les Regrets*
- **Dumas**, *Henri III et sa cour*
- **Duras**, *L'Amant*
- **Duras**, *La Pluie d'été*
- **Duras**, *Un barrage contre le Pacifique*
- **Flaubert**, *Bouvard et Pécuchet*
- **Flaubert**, *L'Éducation sentimentale*
- **Flaubert**, *Madame Bovary*
- **Flaubert**, *Salammbô*
- **Gary**, *La Vie devant soi*
- **Giraudoux**, *Électre*
- **Giraudoux**, *La Guerre de Troie n'aura pas lieu*
- **Gogol**, *Le Mariage*
- **Homère**, *L'Odyssée*
- **Hugo**, *Hernani*
- **Hugo**, *Les Misérables*
- **Hugo**, *Notre-Dame de Paris*
- **Huxley**, *Le Meilleur des mondes*
- **Jaccottet**, *À la lumière d'hiver*
- **James**, *Une vie à Londres*
- **Jarry**, *Ubu roi*
- **Kafka**, *La Métamorphose*

- **Kerouac**, *Sur la route*
- **Kessel**, *Le Lion*
- **La Fayette**, *La Princesse de Clèves*
- **Le Clézio**, *Mondo et autres histoires*
- **Levi**, *Si c'est un homme*
- **London**, *Croc-Blanc*
- **London**, *L'Appel de la forêt*
- **Maupassant**, *Boule de suif*
- **Maupassant**, *Le Horla*
- **Maupassant**, *Une vie*
- **Molière**, *Amphitryon*
- **Molière**, *Dom Juan*
- **Molière**, *L'Avare*
- **Molière**, *Le Malade imaginaire*
- **Molière**, *Le Tartuffe*
- **Molière**, *Les Fourberies de Scapin*
- **Musset**, *Les Caprices de Marianne*
- **Musset**, *Lorenzaccio*
- **Musset**, *On ne badine pas avec l'amour*
- **Perec**, *La Disparition*
- **Perec**, *Les Choses*
- **Perrault**, *Contes*
- **Prévert**, *Paroles*
- **Prévost**, *Manon Lescaut*
- **Proust**, *À l'ombre des jeunes filles en fleurs*
- **Proust**, *Albertine disparue*
- **Proust**, *Du côté de chez Swann*
- **Proust**, *Le Côté de Guermantes*
- **Proust**, *Le Temps retrouvé*
- **Proust**, *Sodome et Gomorrhe*
- **Proust**, *Un amour de Swann*
- **Queneau**, *Exercices de style*
- **Quignard**, *Tous les matins du monde*

- **Rabelais**, *Gargantua*
- **Rabelais**, *Pantagruel*
- **Racine**, *Andromaque*
- **Racine**, *Bérénice*
- **Racine**, *Britannicus*
- **Racine**, *Phèdre*
- **Renard**, *Poil de carotte*
- **Rimbaud**, *Une saison en enfer*
- **Sagan**, *Bonjour tristesse*
- **Saint-Exupéry**, *Le Petit Prince*
- **Sarraute**, *Enfance*
- **Sarraute**, *Tropismes*
- **Sartre**, *Huis clos*
- **Sartre**, *La Nausée*
- **Senghor**, *La Belle histoire de Leuk-le-lièvre*
- **Shakespeare**, *Roméo et Juliette*
- **Steinbeck**, *Les Raisins de la colère*
- **Stendhal**, *La Chartreuse de Parme*
- **Stendhal**, *Le Rouge et le Noir*
- **Verlaine**, *Romances sans paroles*
- **Verne**, *Une ville flottante*
- **Verne**, *Voyage au centre de la Terre*
- **Vian**, *J'irai cracher sur vos tombes*
- **Vian**, *L'Arrache-cœur*
- **Vian**, *L'Écume des jours*
- **Voltaire**, *Candide*
- **Voltaire**, *Micromégas*
- **Zola**, *Au Bonheur des Dames*
- **Zola**, *Germinal*
- **Zola**, *L'Argent*
- **Zola**, *L'Assommoir*
- **Zola**, *La Bête humaine*
- **Zola**, *Nana*